Les petits secrets de

LE LIÈVRE ET LA TORTUE

Alexandre Jardin

Fred Multier

D'après Jean de la Fontaine

hachette
JEUNESSE

Il était une fois un lièvre rigolo et une tortue décidée.
Pressé, le lièvre adorait profiter de la vie,
tandis que la tortue était lente et obstinée.

Trouve 3 objets débutant par R.

(Raquette, rouleau, râteau.)

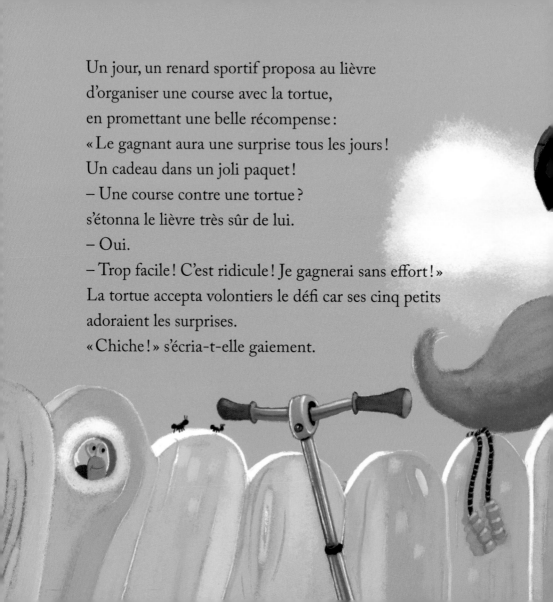

Un jour, un renard sportif proposa au lièvre
d'organiser une course avec la tortue,
en promettant une belle récompense :
« Le gagnant aura une surprise tous les jours !
Un cadeau dans un joli paquet !
– Une course contre une tortue ?
s'étonna le lièvre très sûr de lui.
– Oui.
– Trop facile ! C'est ridicule ! Je gagnerai sans effort ! »
La tortue accepta volontiers le défi car ses cinq petits
adoraient les surprises.
« Chiche ! » s'écria-t-elle gaiement.

Combien vois-tu de fourmis?

(7)

Le signal du départ fut donné par le renard sportif,
qui tapa sur une casserole. GONG !

La tortue se mit aussitôt en route.
Pressée, elle se hâtait avec lenteur.
Le lièvre bondit puis se ravisa :
« Il n'y a que cent mètres à courir pour atteindre
le petit pont. Je franchirai la ligne d'arrivée
bien assez tôt ! J'ai tout mon temps ! »

Trouve une erreur
sur le lièvre.
(Ses lunettes :)

Fou de dessins animés, il se dirigea tranquillement
vers le cinéma le plus proche.
À l'affiche : *Les Aventures de Super-Lapin* !
« Mais… fit un spectateur étonné, je croyais
que vous faisiez une course contre la tortue ?
– Pff… oui, répondit le lièvre. Une tortue traînarde,
tellement lente !
– À votre place, je me méfierais.
Une tortue, c'est lent mais obstiné.
– Vous voulez rire ? s'esclaffa le lièvre.
J'ai bien le temps de regarder *Super-Lapin* ! »

Trouve le fan de Super-Cochon.

Comme la tortue franchissait un ruisseau,
ses petits l'encourageaient sur le bord du chem
« Vas-y maman ! Fonce !
Accélère de toutes tes pattes ! »

Moqueur, le lièvre s'approcha :
« Alors petite tortue, c'est dur ? On regrette
d'avoir accepté cette course ? »
La tortue sourit et ne répondit pas.
Sûr de lui comme d'habitude, le lièvre fila,
sans voir que la maman volontaire
gagnait du terrain.

Trouve le poisson
bleu et jaune.

Le lièvre courut rejoindre ses copains et ses copines
pour leur raconter des blagues. Et il les fit bien rire.
Ah! Ah! Ah! Et comme il était très fort en plaisanteries,
il recommença ses histoires qui, à chaque fois,
faisaient se tordre ses amis.
Agacé par son manque de sérieux, le renard le pria
de reprendre la course:
« Allez, on y retourne! »

Quel animal est caché derrière l'arbre ?

(Un rhinocéros !)

La vaillante tortue, très tenace, s'appliquait toujours
à tracer sa route, au prix d'efforts extraordinaires,
car le chemin était difficile, accidenté et bizarroïde.
Mais le lièvre entendit alors un petit air
qui lui plut beaucoup. Ce fêtard détala aussitôt.

Quel chemin a pris
la tortue?
(p. 2.)

C'était encore sa bande de copains. Ils avaient apporté
de quoi écouter de la musique au bord de la rivière.
Tout excité, le lièvre se mit alors à danser comme un fou.
WOUAH! Quel plaisir de s'éparpiller,
de se déhancher et de gigoter!

Trouve 3 objets qui roulent.
(Voiture, patins, skate.)

Pendant ce temps, la tortue arrivait enfin en vue
du petit pont sous un soleil de plomb.
La ligne d'arrivée approchait. Mais le lièvre se dit encore
qu'il avait bien le temps d'aller faire une petite partie
de foot avec ses amis. Et il repartit en sens inverse.

Les enfants de la tortue eurent alors l'idée
de mouiller des feuilles dans le ruisseau
pour asperger leur petite maman qui avait très chaud :
« Allez, courage maman ! Fonce ! »
Elle leur fit un petit clin d'œil en passant.

ARRIVÉE

Trouve l'erreur
du décor.
(Une carotte !)

Tandis que la tortue progressait,
le lièvre jouait follement au ballon avec les écureuils.
Tout content, il n'écoutait même pas les reproches
du renard furibard.
Autour de lui, ses amis applaudissaient
ses exploits sportifs et s'amusaient bien.

Combien d'herbes se sont envolées?

(8)

Sentant la fin de la course approcher,
le lièvre s'avisa enfin qu'il ferait bien de filer
vers le petit pont. Mais comme il était fatigué,
il décida de s'accorder d'abord une petite sieste au creux
d'un arbre. Ce n'était pas cette mollassonne de tortue
qui risquait de gagner pendant ce temps-là !

Trouve 10 animaux.

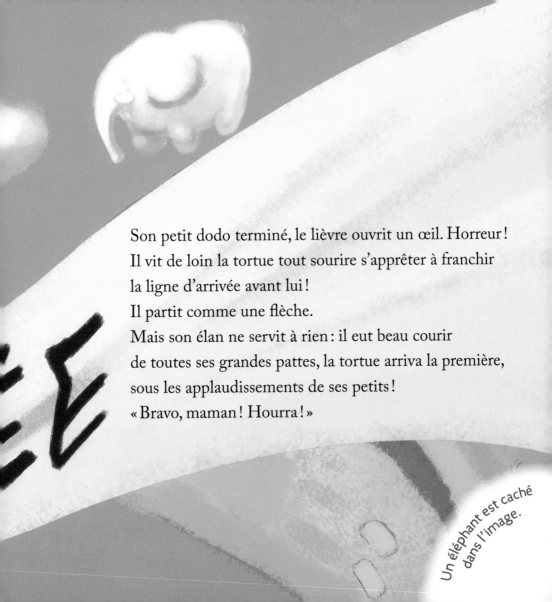

Son petit dodo terminé, le lièvre ouvrit un œil. Horreur !
Il vit de loin la tortue tout sourire s'apprêter à franchir
la ligne d'arrivée avant lui !
Il partit comme une flèche.
Mais son élan ne servit à rien : il eut beau courir
de toutes ses grandes pattes, la tortue arriva la première,
sous les applaudissements de ses petits !
« Bravo, maman ! Hourra ! »

Un éléphant est caché dans l'image.

Le renard était fou de joie. Il trouvait juste
que la petite maman ait gagné haut la main.
«Eh bien! lança la tortue à son concurrent dépité.
Qu'est-ce que ce serait si vous aviez en plus
votre terrier sur le dos? À quoi vous sert votre vitesse?
Rien ne sert de courir, il faut partir à point!»

Trouve 2 mains identiques.

Le Lièvre et la Tortue

Rien ne sert de courir ; il faut partir à point :
Le lièvre et la tortue en sont un témoignage.
« Gageons, dit celle-ci, que vous n'atteindrez point
Sitôt que moi ce but. – Sitôt ? Êtes-vous sage ?
    Repartit l'animal léger :
    Ma commère, il vous faut purger
    Avec quatre grains d'ellébore.
    – Sage ou non, je parie encore. »
    Ainsi fut fait ; et de tous deux
    On mit près du but les enjeux :
    Savoir quoi, ce n'est pas l'affaire,
    Ni de quel juge l'on convint.
Notre lièvre n'avait que quatre pas à faire,
J'entends de ceux qu'il fait lorsque, prêt d'être atteint,
Il s'éloigne des chiens, les renvoie aux calendes,
    Et leur fait arpenter les landes.
Ayant, dis-je, du temps de reste pour brouter,
    Pour dormir et pour écouter
  D'où vient le vent, il laisse la tortue
    Aller son train de sénateur.
    Elle part, elle s'évertue,
    Elle se hâte avec lenteur.